UN MOT AUX PARENTS

Lorsque votre enfant est prêt à aborder le domaine de la lecture, *le choix* des livres est aussi important que le choix des aliments que vous lui préparez tous les jours.

La série **JE SAIS LIRE** comporte des histoires à la fois captivantes et instructives, agrémentées de nombreuses illustrations en couleurs, rendant ainsi l'apprentissage de la lecture plus agréable, plus amusant et plus en mesure d'éveiller l'intérêt de l'enfant. Un point à retenir : les livres de cette collection offrent *trois niveaux* de lecture, de façon que l'enfant puisse progresser à son propre rythme.

Le **NIVEAU 1** (préscolaire à 1re année) utilise un vocabulaire extrêmement simple, à la portée des très jeunes. Le **NIVEAU 2** (1re - 3e année) comporte un texte un peu plus long et un peu plus difficile. Le **NIVEAU 3** (2e - 3e année) s'adresse à ceux qui ont acquis une certaine facilité à lire. Ces critères ne sont établis qu'à titre de guide, car certains enfants passent d'une étape à l'autre beaucoup plus rapidement que d'autres. En somme, notre seul objectif est d'aider l'enfant à s'initier progressivement au monde merveilleux de la lecture.

Sire Petit et

Dépôts légaux 3e trimestre 1989.
ISBN : 2-7625-6393-3.
Imprimé au Canada

la **Libellule**

Texte de Jane O'Connor
Illustrations de John O'Brien

Traduit de l'anglais par
Dominique Chauveau

Niveau 1

EH **Héritage jeunesse**

Il y a très très longtemps,
un tout petit chevalier
et sa fidèle fourmi entrèrent
dans la bourgade de Miniville.

À Miniville,
la personne la plus grande n'était
pas plus haute qu'un cure-dents.
La plus grosse maison n'était
pas plus grosse qu'une boîte
à chaussures.

« C'est la ville qui me convient ! »
dit le tout petit chevalier.
« Je crois que je vais rester ici. »
Et c'est ce qu'il fit.

Mais un jour une libellule
survola la bourgade.
« Sauve qui peut ! »
crièrent les gens de Miniville.

Dame Lydia se mit à courir.
La libellule plongea vers elle.

Dans un grand bruissement
d'ailes, dame Lydia
fut emportée.
« À l'aide ! À l'aide ! » cria-t-elle.

« La libellule a emporté dame Lydia dans sa grotte. Qui peut la sauver ? » demanda le roi.

« Je suis trop
vieux ! »
répondit
le boucher.

« Je suis trop
gros ! »
répondit
le boulanger.

« J'ai bien trop peur ! »
répondit le fabricant
de chandelles.

« Moi je n'ai pas peur ! »
lança le tout petit chevalier.
« Toi ? Qui es-tu ? »
demanda le roi.
« Je suis sire Petit.
Et j'ai mon épée. »
Elle était de la taille
d'une épingle.
« J'ai mon bouclier. »
Il n'était pas plus gros
qu'une pièce de monnaie.
« Et j'ai ma fidèle fourmi. »

Le roi se mit à rire.
« Tu es encore plus petit
que nous ! »

« Je suis petit,
mais je suis brave.
Je sauverai dame Lydia. »

Sire Petit se rendit à la grotte
de la libellule.

La libellule était endormie.
Quelle chance pour sire Petit !

« Chut ! » fit-il
à dame Lydia.
Puis il coupa ses liens.
Dame Lydia était libre !
« Venez avec moi »,
lui dit sire Petit.

Dame Lydia grimpa sur la
fourmi de sire Petit.
Ils s'enfuirent au loin.
Il n'y avait pas de temps
à perdre !

Bientôt, la libellule s'éveilla.
Où était la jolie dame?
La libellule voulait
qu'elle revienne.

La libellule s'envola
à la poursuite de sire Petit
et de dame Lydia.
Elle se rapprochait de plus
en plus.

Mais sire Petit
n'avait pas peur.
Il vit une grosse toile d'araignée,
et ça lui donna une idée !

Sire Petit alla se placer
derrière la toile d'araignée.
« Essaie de nous attraper ! »
cria-t-il à la libellule.

La libellule s'élança.

Elle vola en plein dans la toile
et se trouva prise au piège.

Ce fut la fin
de la libellule !

Cette nuit-là
les gens de Miniville
donnèrent une grande fête.

Dame Lydia s'assit
tout près de sire Petit.
Ils étaient très heureux.

Le roi leva son verre.

« À sire Petit.

Le plus petit,
mais le plus brave de tous ! »